Alexandra

Tous lecteurs

Documenta

GW00992026

Bébés animaux

Denise Ryan

traduit par Lucile Galliot

hachette
ÉDUCATION

Sommaire

PAPIER À BASE DE FIBRES CERTIFIÉES

hachette s'engage pour l'environnement en réduisant l'empreinte carbone de ses livres. Celle de cet exemplaire est de : **300 g éq. CO_2** Rendez-vous sur www.hachette-durable.fr

ISBN : 978-2-01-117485-7

Copyright 2008 © Weldon Owen Pty Ltd.

Pour la présente édition, © Hachette Livre 2016, 58 rue Jean Bleuzen, CS 70007, 92178 Vanves Cedex

Comment sont appelés les petits
des animaux ? Qui sont-ils ?
Lis ce livre pour le savoir…

Le lionceau

Le petit du lion est appelé
lionceau. Les lionceaux
aiment regarder partout.

un lionceau

La fourrure* du lionceau est douce.

Le bébé alligator

Le petit de l'alligator sort d'un œuf. La maman alligator porte chaque bébé dans sa gueule.

Combien vois-tu de bébés alligators ?

une maman alligator

un bébé alligator

Le baleineau

Le petit de la baleine
est appelé baleineau.
Ce baleineau est
avec sa maman.

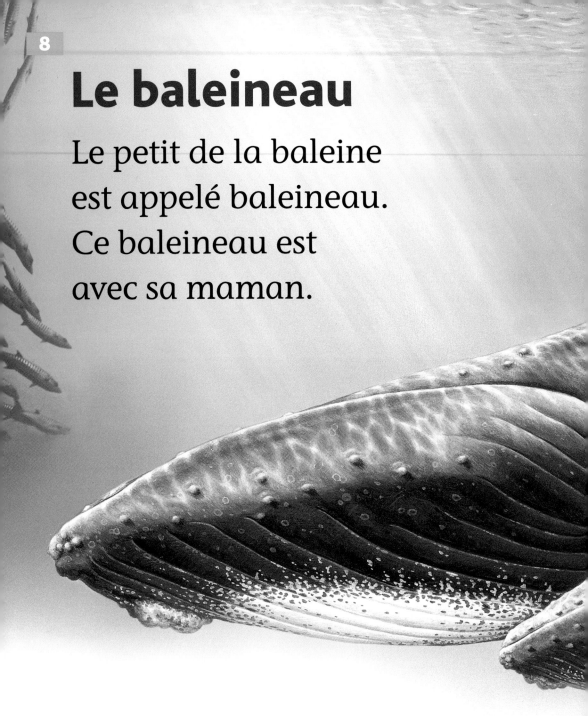

Les baleines parcourent les océans.

une maman baleine

un baleineau

Le bébé fourmilier

Juste après la naissance,
le bébé fourmilier* monte
sur le dos de sa maman.

une maman
fourmilier

La maman fourmilier
emporte son petit partout.

un bébé
fourmilier

L'ourson polaire

Le petit de l'ours polaire*
est appelé ourson polaire.
La fourrure* des oursons
polaires est blanche et douce.

un ourson polaire

une maman
ourse polaire

Les ours polaires vivent dans les régions
glacées.

Le bébé panda

La fourrure* des pandas*
est noire et blanche.
Les petits du panda adorent
faire des roulades.

un bébé panda

un panda

une pousse
de bambou

Les pandas se nourrissent de pousses*
de bambou*.

Le lapereau

Le petit du lapin est appelé lapereau. Les lapereaux naissent dans des terriers*.

un lapereau

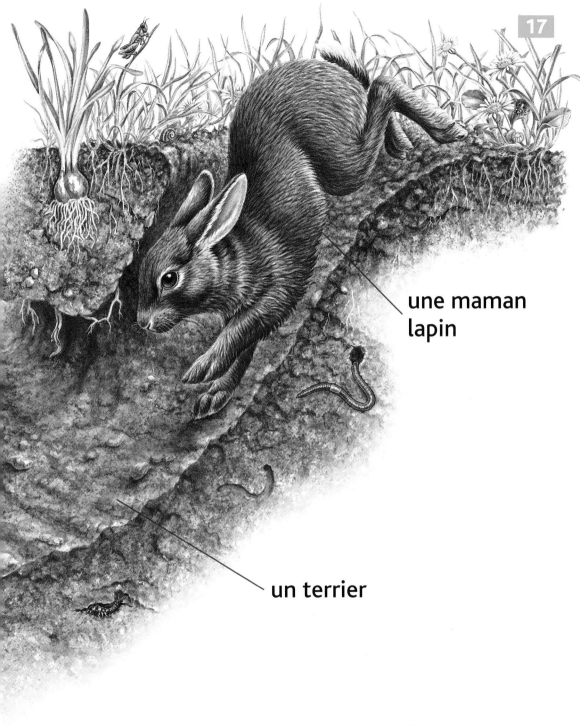

une maman
lapin

un terrier

Il peut y avoir six ou sept lapereaux
dans une même portée* !

Le bébé kangourou

À la naissance, le bébé kangourou est tout petit.
La maman porte son petit dans une poche sur son ventre.

Après la naissance, le bébé kangourou monte dans la poche de sa maman.

une maman
kangourou

un bébé
kangourou

Le bébé lézard

Le petit du lézard sort d'un œuf.
Il y a des lézards presque
partout dans le monde.

Ces bébés lézards marchent
sur des branches mortes.

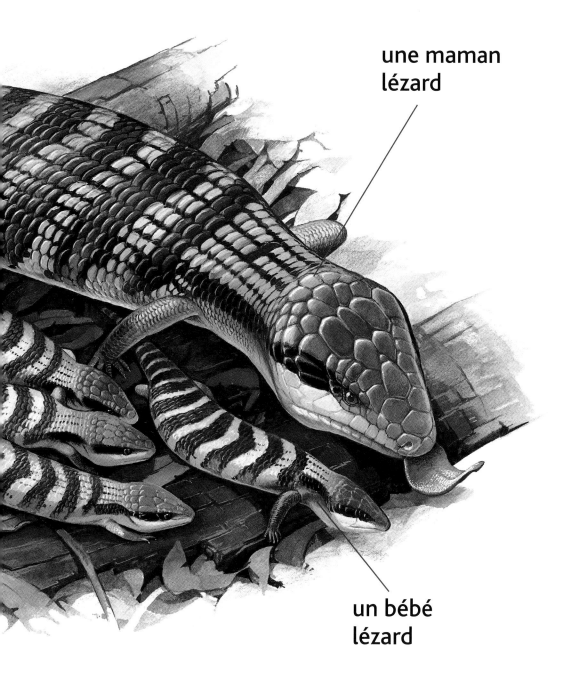

une maman
lézard

un bébé
lézard

L'éléphanteau

Le petit de l'éléphant
est appelé éléphanteau.
Cet éléphanteau est
à l'abri entre les pattes
de sa maman.

Les éléphants vivent en troupeaux*.

une maman
éléphant

un éléphanteau

Lexique

le bambou : une plante à grandes tiges qui pousse dans les pays chauds.

un fourmilier : un animal qui vit dans les forêts d'Amérique du Sud et se nourrit d'insectes.

une fourrure : l'ensemble des poils qui recouvrent certains animaux.

un ours polaire : un ours à la fourrure blanche qui vit dans les régions glacées.

un panda : un animal d'Asie qui ressemble à un petit ours.

une portée : l'ensemble des bébés animaux qui naissent en une fois.

une pousse : une jeune branche d'arbre.

un terrier : un trou fait dans la terre par certains animaux.

un troupeau : un groupe d'animaux.

Crédits photographiques : 1 : Photodisc ; 4-5 : iStock.
Mise en pages : Cyrille de Swetschin

Imprimé en France par Imprimerie CHIRAT - 42540 Saint-Just-la-Pendue - N° 201910.0428
Dépôt légal : Décembre 2019 - Collection n° 36 - Édition 10 - 11/7485/3